L'ART GOTHIQUE

la grammaire des styles

L'ART GOTHIQUE

par
Jean-Pierre Willesme

Flammarion

© Flammarion, Paris, 1982.
© SPADEM, Paris, 1982, pour les photos Archives Photographiques.

ISBN 2-08-010347-4

Imprimé en France

UN ART FRANÇAIS :
ORIGINES
ET CARACTÈRES GÉNÉRAUX

A partir de la Renaissance, le mot de *gothique* commence à qualifier la « barbarie » des siècles du Moyen Age. C'est un terme de mépris pour un art attribué (à tort) aux Goths, envahisseurs de l'Occident pendant le haut Moyen Age; il désigne aujourd'hui un art qui s'épanouit du milieu du XIIe siècle au début du XVIe siècle. L'art gothique a puisé un certain nombre d'innovations dans l'art anglo-normand : le rôle de la cathédrale de Durham dans l'origine de l'ogive n'a jamais été contesté (1093-1104), pas plus que celui de Saint-Étienne de Caen (nef voûtée vers 1125); mais l'art gothique a un berceau essentiel, l'Ile-de-France, et est contemporain à ses débuts de la formation du domaine royal capétien.

Le premier grand chef-d'œuvre est Saint-Denis, dont il reste les parties basses du chœur (achevé en 1144), dû à Suger, ministre de Louis VII. Le chœur de Saint-Martin-des-Champs (occupé aujourd'hui par le musée des Techniques du Conservatoire des Arts et Métiers), à Paris, est pratiquement contemporain. Il ne faudrait voir à Morienval (Oise) qu'une imitation grossière de modèles plus parfaits aujourd'hui disparus.

En frontispice :
*Déambulatoire
du chœur de l'abbaye
de Saint-Denis.
Photo Arch. Phot.*

C'est le sens de l'espace et l'intégration des différents volumes les uns par rapport aux autres qui distinguent l'art gothique de l'art roman beaucoup plus que l'opposition entre arc en plein cintre et arc brisé. Suivant ce principe, on doit renoncer à donner le rôle primordial, dans la définition du nouveau style, à la voûte d'ogives : elle est aussi bien romane, à Durham, à Lessay (Manche, début du XIIe siècle) et des églises comme Sens et Saint-Germer sont encore à demi romanes. La voûte d'ogives est constituée de *quartiers* (ou voûtains) dont les rencontres sont formées par des branches d'ogive. Le *formeret* n'est qu'une sorte de couvre-joint à la rencontre de la voûte et du mur portant; certaines voûtes n'ont pas ou n'ont plus de formeret.

Les cathédrales gothiques sont des contemporaines et des produits du grand essor urbain en Occident. Cette vision doit être nuancée : Saint-Denis et Saint-Martin-des-Champs étaient des abbayes extérieures aux agglomérations, comme Saint-Remi de Reims, dont l'influence fut profonde dans le premier art gothique. L'ordre cistercien (comme d'ailleurs d'autres ordres issus de la Réforme, tels les prémontrés) adopta le nouvel art gothique et contribua à sa diffusion hors de l'Ile-de-France et de la France.

Éléments
de construction gothique.

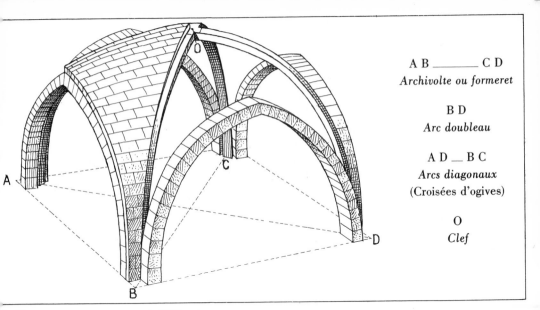

A B ———— C D
Archivolte ou formeret

B D
Arc doubleau

A D — B C
Arcs diagonaux
(Croisées d'ogives)

O
Clef

Construction de la voûte sur croisées d'ogives

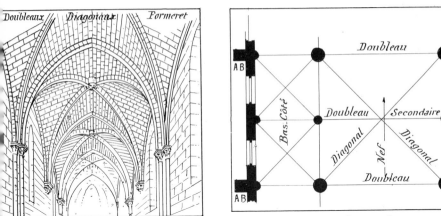

Voûte sur croisées d'ogives

Voûte sexpartite sur plan carré

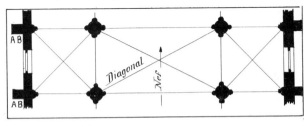

Voûte sur plan barlong *(1 seule travée)*
A B *arcs-boutants*

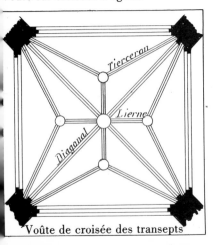

Voûte de croisée des transepts

PREMIER ART GOTHIQUE :
ART MONASTIQUE
ET GRANDS ÉDIFICES

Dans cette première période, l'arc en plein cintre n'est pas encore totalement abandonné; le tracé s'en maintient longtemps dans les grandes roses de façade. Le pilier monocylindrique, renforcé ou non de colonnettes, est le plus souvent employé. Les chapiteaux historiés disparaissent au profit de chapiteaux à crochets. Les bases des colonnes sont formées de deux tores très inégaux. Jusqu'aux alentours de 1175, le tore inférieur reste assez élevé, d'aspect souvent bulbeux, et est toujours surmonté d'une gorge *(scotie)* très ouverte et peu profonde.

L'art monastique; les cisterciens et le plan « bernardin »

L'art monastique forme, par le rôle qu'y jouent les cisterciens, une sorte de transition entre l'art roman et le premier art gothique. Les archéologues se sont attachés à définir un plan « bernardin » qui serait issu de Clairvaux et de Morimond.

Ce plan « bernardin » fut adopté vers 1160 à l'église abbatiale de Morimond (quatrième fille de Cîteaux

Intérieur de Saint-Remi de Reims.
Photo Lauros-Giraudon.

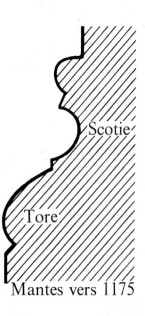

Mantes vers 1175

Plan « bernardin »
de l'église de Morimond
(restitution d'après
les fouilles).
D'après le
Bulletin monumental.

■ Parties apparentes ou reconnues

▨ Parties reconstituées

▨ Arrachements visibles dans le mur à hauteur du départ de la voûte

en 1115) : on choisit un grand chœur rectangulaire à chapelles intérieures desservies par un déambulatoire en équerre. Morimond (Haute-Marne) a été une véritable tête de pont pour la diffusion de l'ordre cistercien vers l'Est. Le schéma de Morimond permettait d'inclure les nombreuses chapelles nécessaires aux services religieux. Les élévations à deux niveaux (grandes arcades avec espace vierge au-dessus et fenêtres hautes) définissent une sorte de « style monastique » dont le chevet de Pontigny (après 1186) pourrait être le modèle. Il n'existe pas de plan cistercien type caractérisé par un chevet plat comme on l'a cru longtemps. Les fouilles ont montré que les plans adoptés étaient beaucoup plus variés qu'on ne le croyait (le plan bernardin n'est pas propre aux églises cisterciennes).

Grands édifices du premier art gothique

Le premier art gothique (seconde moitié du XIIe siècle) est illustré par une série d'édifices dont les uns sont l'expression de conceptions entièrement nouvelles et les autres le fruit du profond remaniement des monuments antérieurs. La voûte sexpartite (à six quartiers) fit place peu à peu à la voûte quadripartite (à quatre quartiers). L'ordonnance à quatre étages tendit à se réduire à trois étages par la suppression des tribunes. Deux types d'édifices peuvent être définis suivant l'élévation adoptée :

— quatre étages : grandes arcades, tribunes, triforium et fenêtres hautes;

— trois étages : grandes arcades, fausses tribunes (ou triforium) et fenêtres hautes.

L'ordonnance à *quatre étages* fut d'abord la plus répandue. En Champagne, Saint-Remi (Reims) et

10

Notre-Dame-en-Vaux (Châlons), vieilles fondations, ont vu leur architecture s'adapter aux principes nouveaux. Saint-Remi de Reims, ancienne église abbatiale bénédictine, a été remaniée au début de l'époque gothique sous l'abbatiat de Pierre de Celle (1162-1181). On supprima alors le porche occidental tout en conservant les tours latérales et on édifia une double travée sexpartite terminée vers 1175. Le chevet, avec son ordonnance à quatre étages, est dû à Pierre de Celle. La nef et le transept roman furent surélevés à la fin du XIIe siècle, habillés de supports muraux et voûtés d'ogives. Une parenté étroite lie Saint-Remi à Notre-Dame-en-Vaux à Châlons-sur-Marne. Après un écroulement partiel en 1157, on rebâtit l'église (qui n'avait que deux niveaux) suivant une ordonnance à quatre étages. Le chevet à déambulatoire et chapelles rayonnantes a été élevé à l'extrême fin du XIIe siècle et imite dans des proportions réduites celui de Saint-Remi de Reims.

En Picardie, la cathédrale de Laon construite entre 1155 et 1225 présente un chœur à chevet plat (après le remaniement du XIIIe siècle) et sept tours analogues à celles de la cathédrale de Tournai. De Tournai à Rouen, ce parti du transept chargé de cinq tours est

Nef de Notre-Dame
de Paris. Photo X.

Façade occidentale
de la cathédrale de Laon.
Photo Arch. Phot.

relativement fréquent (une tour-lanterne réunit tous les volumes intérieurs en un point central).

La cathédrale de Noyon, commencée vers 1150, n'a sans doute jamais connu les voûtes sexpartites; mais la nef présente l'alternance habituelle des supports forts et faibles. Le transept très saillant (1155-1185) se termine par deux hémicycles. Les éléments des deuxième et troisième étages y sont intervertis : grandes arcades au rez-de-chaussée, triforium au second étage et, au-dessus, deux rangs de fenêtres géminées, les premières doublées d'une galerie de circulation intérieure, celles du haut d'une galerie rejetée à l'extérieur. Ce parti relève de l'architecture anglo-normande du « mur évidé » (ou dédoublé). Le maître de Noyon a adapté le style de l'Ile-de-France à ce type de structure. Soissons n'a conservé l'hémicycle que dans son transept méridional (le chœur de l'édifice a été repris au début du xiiie siècle).

La cathédrale la plus célèbre de ce premier art gothique est Notre-Dame de Paris, commencée en 1163. La hauteur sous voûte, qui n'était que de 21,50 mètres à Noyon et 24 mètres à Laon, atteint ici 34 mètres. L'architecte a adopté le mur mince, refu-

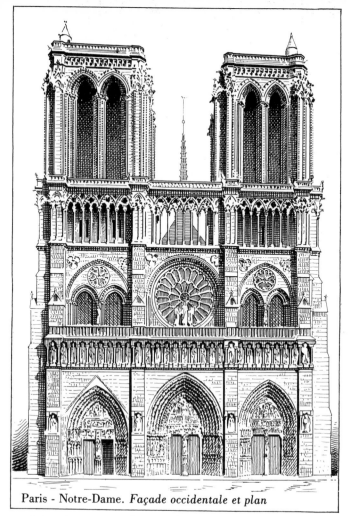

Paris - Notre-Dame. *Façade occidentale et plan*

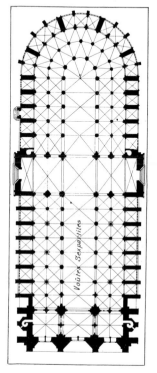

Voûtes Sexpartites

sant les jeux complexes d'ombre et de lumière que permet le mur dédoublé. La même technique est utilisée à Mantes. A Paris, l'élévation interne des travées est parfaitement plane; les fenêtres elles-mêmes ne s'inscrivent que très légèrement en retrait. L'ac-

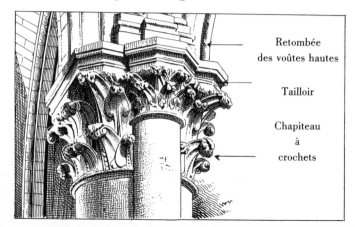

Retombée
des voûtes hautes

Tailloir

Chapiteau
à
crochets

Paris - Notre-Dame.
Chapiteau à crochets

*Élévation
de la nef de la
cathédrale de Sens.
Photo Balestrini.*

cent est nettement mis, dans la nef, sur les lignes verticales (vers 1180). La voûte sexpartite ne détermine aucune alternance dans les supports; à l'origine, l'architecte a conçu quatre étages (sans triforium) : grandes arcades, tribunes, oculus et fenêtres hautes. Le transept n'est pas saillant. Cependant, mis à part la collégiale de Mantes, Notre-Dame de Paris fit peu école pour de vastes édifices.

Quant à l'ordonnance à *trois étages*, elle se trouve dès les débuts du gothique et s'impose au XIIIᵉ siècle. La cathédrale de Sens, commencée vers 1135, fait figure de précurseur avec ses grandes arcades, ses fausses tribunes donnant sous comble et ses fenêtres hautes (associées aux voûtes sexpartites). Cette simplification des étages finira par donner aux bas-côtés le caractère de vraies nefs latérales. Le chœur de Saint-Germain-des-Prés (doté dès l'origine d'une voûte quadripartite) fut consacré dès 1163; il présente également trois étages (mais aujourd'hui le triforium n'est plus celui du XIIᵉ siècle). En Bourgogne, le chœur de Vézelay (après 1185) a une ordonnance à trois étages, le second pouvant être considéré comme une fausse tribune ou un triforium. Senlis (1155-1191) possède une ordonnance comprenant des tribunes, mais les parties hautes ont été rebâties au XVIᵉ siècle.

14

GRANDES CATHÉDRALES DU DÉBUT DU XIIIe SIÈCLE : LE MODÈLE CHARTRAIN

Tandis que les principales innovations naissent sur le chantier de Chartres, le décor architectural évolue lentement. La brisure des arcs est de plus en plus accentuée. Pour ne pas rompre l'élancement des lignes verticales, les crochets des chapiteaux sont remplacés par des bagues de feuillages appliquées à la corbeille. Les bases s'aplatissent : dans la première moitié du XIIIe siècle, le tore inférieur, plus écrasé, commence à déborder l'aplomb du socle. La scotie est profondément creusée, mais le tore supérieur, réduit à l'extrême, n'est parfois qu'une simple baguette.

Le gros œuvre de Chartres est construit de 1194 à 1220. Comme à Sens, l'élévation est à trois étages, avec cette différence que les grandes arcades et les fenêtres hautes, séparées par un triforium, sont de hauteur égale. Un nouveau type de pile apparaît : la *pile cantonnée* de quatre colonnettes engagées permet de recevoir les grandes arcades et les doubleaux de la nef et du collatéral. L'*arc-boutant*, qui enjambe le bas-côté pour transmettre la poussée de la voûte centrale, devient un organe essentiel; la tribune disparaît au profit des collatéraux. L'effet recherché est celui de la platitude murale. C'est le triomphe des grandes

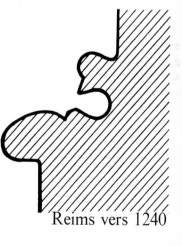

Reims vers 1240

*Élévation de la nef
de la cathédrale
de Chartres.
Photo Roubier.*

*Cathédrale de Reims,
vue de la nef en direction
de l'entrée occidentale.
Photo Roger-Viollet.*

*Nef et chœur
de la cathédrale
d'Amiens.
Photo Balestrini.*

*Nef et chœur
de la cathédrale
de Bourges. Photo X.*

roses qui permettent l'épanouissement de la technique du vitrail.

L'édification de Notre-Dame de Reims, cathédrale des sacres, a été entreprise en 1211 (c'est-à-dire près de cinquante ans après Notre-Dame de Paris) par l'architecte Jean d'Orbais. Une des innovations de la façade (terminée tardivement, après 1260) est le remplacement des tympans par des rosaces. Le revers est aussi d'une conception originale : le triforium est ajouré et l'encadrement du portail a reçu sept rangées de niches superposées abritant cinquante-deux statues. La hauteur sous voûte atteint 38 mètres. Malgré la durée des travaux, les architectes ont tous cherché à respecter l'unité de style définie au début du XIIIᵉ siècle.

L'évolution vers le style rayonnant est plus sensible à Amiens où la cathédrale fut entreprise vers 1220. La nef, par laquelle les travaux ont commencé, est accostée de bas-côtés; elle ne possédait pas, à l'origine, de chapelles latérales. A partir du transept, les bas-côtés se dédoublent; sept chapelles rayonnantes donnent sur le chœur. La chapelle de la Vierge est la plus profonde. Le projet de la façade actuelle se situerait entre 1236 et 1241. La cathédrale d'Amiens (145 mètres de long, 43 mètres de haut) est, malgré

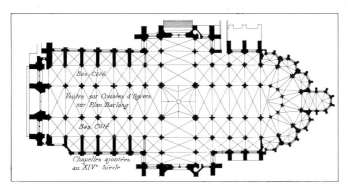

Amiens, *cathédrale, plan*   Amiens, *cathédrale, nef*

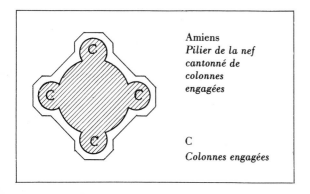

Amiens
*Pilier de la nef
cantonné de
colonnes
engagées*

C
Colonnes engagées

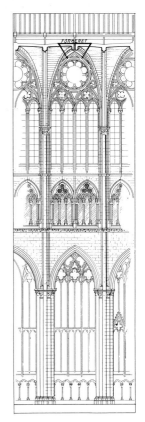

sa démesure, une des plus belles expressions de l'art gothique. Le chœur, achevé en 1269, appartient déjà à la phase rayonnante de l'évolution.

Le dernier des grands édifices de la lignée de Chartres est la cathédrale de Beauvais, malgré des dates tardives dans le XIIIe siècle (1225-1272). Le chœur s'élève à 48 mètres. Le triforium du collatéral comprend une claire-voie. Les arcs-boutants trop grêles ne pouvant contrebuter la poussée, une grande partie des voûtes s'écroulait en 1284. On dut alors établir des voûtes sexpartites; l'église ne fut jamais terminée.

Face à ces édifices issus de Chartres, Bourges (vers 1200) représente une autre esthétique : les effets recherchés (cinq nefs étagées, sur un plan continu, sans transept) sont essentiellement des jeux de volumes. Les collatéraux intérieurs ont des triforiums et des fenêtres hautes.

Portail de la Calende, transept sud de la cathédrale de Rouen. Photo Giraudon.

ÉVOLUTION ARCHITECTURALE : FENESTRAGE, VOÛTEMENTS ET ARCS-BOUTANTS

L'évolution du XIIIᵉ siècle va dans le sens d'une spé-cialisation de chaque fonction en tirant toutes les conséquences de l'utilisation de la croisée d'ogives.

Le fenestrage

Au début de l'époque gothique, la fenêtre est obte-nue par le percement du mur porteur.

Dans un premier temps (Laon, Noyon), l'ouverture est unique entre deux retombées de voûtes (forte pente du glacis à l'appui des fenêtres). Dans la plupart des monuments français de la deuxième moitié du XIIᵉ siècle, aucune liaison n'existe entre le triforium et la fenêtre haute. Il se trouve pourtant des excep-tions qui préfigurent l'avenir : dans la nef de Notre-Dame-en-Vaux (Châlons-sur-Marne), la fenêtre est subdivisée et les colonnettes descendent jusqu'à la base du triforium. Dans la double travée orientale du côté sud de Saint-Jacques de Reims, le tore qui cerne la fenêtre haute descend jusqu'à la base de la partie centrale du triforium qui est reculée vers le mur goutterot (« panneau reculé », vers 1200-1210) :

l'architecte a combiné le « panneau reculé » avec le triforium quadripartite continu du type de Noyon, étape importante vers la fenêtre bâtie à remplage.

La fenêtre « percée » subsiste encore à Chartres et Soissons; mais Chartres établit une nouvelle formule : la fenêtre est à deux lancettes hautes et minces surmontées d'une rosace polylobée.

Le remplage « vrai » est appelé rémois à cause de la première application générale qui peut en être datée, dans les chapelles rayonnantes de Notre-Dame de Reims, entre 1212 et 1220. Tout le problème de l'adoption du remplage vrai semble dépendre de l'utilisation délibérée des arcs et fûts d'encadrement du fenestrage comme formeret. Dans les parties basses de Reims, les colonnettes du réseau sont en délit, tandis qu'aux étages supérieurs les colonnettes du formeret sont appareillées, celles du fenestrage restant en délit (pierres posées debout, c'est-à-dire perpendiculairement au lit de la carrière).

Voûtements du chœur, de la nef et du déambulatoire

Au XIIᵉ et au début du XIIIᵉ siècle, les architectes cherchèrent des solutions variées aux problèmes posés par le voûtement des églises.

Sur le chœur et la nef
— Voûtes sexpartites, généralement sur plan carré, formées de deux arcs diagonaux avec un doubleau intermédiaire passant par l'intersection (clef) desdits arcs : Sens, Laon, Mouzon, Notre-Dame de Paris, Mantes, Bourges.

— Voûtes quadripartites, généralement sur plan rectangulaire, dit *barlong*, formées de deux arcs diagonaux : Saint-Germain-des-Prés (chœur), Saint-Remi de Reims (chœur), Noyon, Notre-Dame-en-Vaux, Chartres.

La voûte sexpartite, qui apparaît en Normandie au début du XIIᵉ siècle, a été connue très tôt en Italie. L'emploi de la voûte sexpartite dans une nef nécessite l'emploi d'une retombée forte et d'une retombée faible (l'*alternance*); mais certains édifices (Laon, Mouzon, Notre-Dame de Paris) masquent l'alternance par des artifices de construction (par exemple en aug-

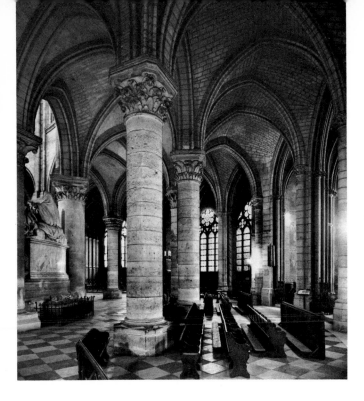

*Déambulatoire
de Notre-Dame de Paris.
Photo Hirmer.*

mentant ou en réduisant le nombre des colonnettes aux retombées des ogives). Les premières voûtes barlongues quadripartites sur le haut vaisseau d'une nef ne semblent pas avoir été construites avant les années 1185-1190, à Noyon comme à Lisieux. Vers 1200, la voûte barlongue l'emportait dans les grands édifices influencés par Chartres.

Le déambulatoire, avec ses travées en trapèzes curvilignes, était difficile à voûter. Les solutions furent très variées : à Saint-Denis, à Noyon, à Senlis, on se borna à les couvrir de deux arcs diagonaux irréguliers; à Saint-Remi de Reims et à Notre-Dame-en-Vaux, plaçant à l'entrée de chacune des chapelles rayonnantes deux colonnettes, on divisa le déambulatoire en travées rectangulaires séparées par deux voûtains triangulaires; à Pontigny (Yonne), à Deuil, à Gonesse (Val-d'Oise), le côté externe du trapèze, divisé en deux, reçoit une nervure supplémentaire.

A Notre-Dame de Paris, la présence d'un double déambulatoire compliquait encore le problème : l'architecte se tira fort habilement de la difficulté en divisant l'espace à couvrir en triangles plus nombreux à l'extérieur qu'à l'intérieur.

**Sur
le déambulatoire**

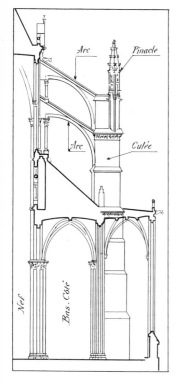

Les arcs-boutants

Les techniques de contrebutement ont connu une période d'essais et de tâtonnements au cours de la seconde moitié du XIIᵉ siècle. Les constructeurs cherchèrent à annuler la poussée des ogives par des murs-boutants dissimulés dans les combles, puis par un report extérieur sur une culée.

Murs-boutants masqués sous les charpentes

Chevet de Saint-Martin-des-Champs (montés en porte-à-faux sur les doubleaux du déambulatoire), Laon (sous la toiture des tribunes de la nef, du transept et du chœur).

Arcs-boutants sans véritable culée

Les culées sont intégrées aux chapelles latérales (avant 1170). Ces arcs-boutants paraissent nécessaires (et non placés après coup) dès la construction pour les édifices du premier art gothique qui ont adopté, avant Chartres, une élévation à trois niveaux dont un étage de simples fausses tribunes : cathédrale de Sens, Saint-Martin d'Étampes, chœur de Saint-Leu d'Esse-

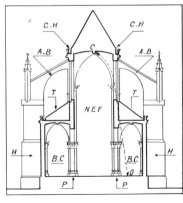

Coupe transversale
d'une église gothique

A B : Arcs-boutants   B C : Bas-côtés
C H : Chéneaux   P : Piliers
T : Toitures des bas-côtés   H : Culées
C O : Poussée oblique de la voûte

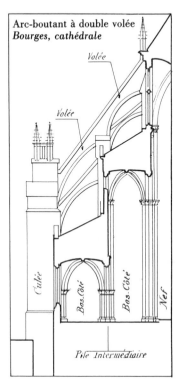

Arc-boutant à double volée
Bourges, cathédrale

Volée

Volée

Volée

Culée   *Bas-Côté*   *Bas-Côté*   *Nef*

Pile Intermédiaire

rent. A Saint-Martin d'Étampes, le contrebutement à volée externe est attesté dès le milieu du XIIᵉ siècle; mais les arcs-boutants semblent ajoutés après coup sur le chœur de Saint-Germain-des-Prés, achevé en 1163.

Arcs-boutants des grandes cathédrales

Un contrebutement systématique est établi dans la nef de Notre-Dame de Paris autour de 1180; mais c'est à Chartres que l'arc-boutant s'intègre dès l'origine à la construction. A Amiens, les arcs-boutants sont munis de chenaux d'évacuation d'eau, c'est-à-dire qu'ils acquièrent une nouvelle fonction.

La double volée (culée intermédiaire sur le double collatéral) peut se combiner avec le double étage (par exemple à la cathédrale de Beauvais).

Chœur de la cathédrale de Lausanne.
Photo Balestrini.

« RÉSISTANCE »
A L'ART CHARTRAIN
ET STYLE GOTHIQUE
DE L'OUEST DE LA FRANCE

L'esthétique définie à Chartres n'entraîna pas une uniformisation des modes de construction : il existe « un art très vivant à côté de la formule chartraine » (H. Focillon) ou une « résistance à Chartres » (J. Bony).

Aspects nouveaux
apparus à Chartres

— accentuation des lignes verticales,
— ordonnance régulière avec voûtes quadripartites,
— réseau plastique embrassant les piliers « cantonnés » de quatre colonnes,
— élévation à trois étages avec très hautes fenêtres,
— absence d'éléments en délit (impression d'unité structurale),
— surface plate dans chaque travée : étagement sur un seul plan.

En Ile-de-France et Champagne, la retombée des voûtes à cinq colonnettes supporte deux formerets, deux ogives et un doubleau.

« *Résistance* » à l'art chartrain

Sur un vaste arc de cercle entre Cantorbéry et la Suisse, avec la Bourgogne sur un côté et la Flandre sur l'autre, on peut définir une esthétique différente de celle de Chartres. Les édifices principaux sont Lausanne (passage devant les fenêtres hautes) et Saint-Yved de Braine (chapelles biaises et coursière extérieure).

Le chœur de Lausanne fut terminé en 1210 et est vraisemblablement antérieur à Chartres et à Braine. C'est probablement le premier exemple gothique, en dehors du domaine anglo-normand, de passage intérieur devant les fenêtres hautes, passage doublé dans le transept et la nef par des arcades multiples. Cette disposition se trouvait déjà à la Trinity Chapel de Cantorbéry. La cathédrale suisse appartient à tout un groupe d'édifices qui ont été à la source du gothique bourguignon. Celui-ci se constitue avec Auxerre et Clamecy (Saint-Martin) dans la seconde décennie du XIIIᵉ siècle.

Trois étages, dont un triforium important et des galeries de circulation tant aux fenêtres hautes que dans les bas-côtés, définissent un système d'élévation inconnu jusqu'alors en Bourgogne. On emploie le passage mince et une pile composée d'un noyau arrondi flanqué de colonnettes en délit. Notre-Dame de Dijon (début vers 1220-1230) possède dans la nef un passage devant les fenêtres hautes et dans le chœur un passage au rez-de-chaussée; mais il nous manque aujourd'hui un chaînon intermédiaire, la Sainte-Chapelle de Dijon (disparue, commencée vers 1220?). La cathédrale de Nevers est peut-être la plus parfaite expression du style bourguignon, qui se défait dans la seconde moitié du XIIIᵉ siècle pour se fondre dans un style beaucoup plus uniforme.

Partis adoptés :

— les voûtes sexpartites de Bourgogne (Notre-Dame de Dijon) sont nettement antichartraines,

— réapparition fréquente d'une tour-lanterne (mais elle est moderne à Dijon),

— colonnettes isolées plantées à l'entrée des chapelles rayonnantes (Saint-Quentin, cathédrale d'Auxerre) à la suite de chevets de la fin XIIᵉ siècle : Saint-Remi de Reims, Notre-Dame-en-Vaux de Châlons,

— chevet à chapelles biaises suivant un type établi à Saint-Yved de Braine : Saint-Quentin, cathédrale de Troyes,

— utilisation de colonnettes en délit (cathédrale de Troyes) qui peuvent être détachées de la maçonnerie,

— superposition de deux passages, au triforium et aux fenêtres hautes : le mur goutterot se trouve « évidé » sur toute sa hauteur. Cette formule se répandra largement, non seulement en Bourgogne, mais en Normandie et jusqu'à Bonn.

La cathédrale de Strasbourg (début de la nef vers 1240) est influencée par la Bourgogne en certains points précis : les colonnettes qui portent les formerets prennent naissance au niveau du triforium, les trois colonnettes centrales de la pile reçoivent le doubleau seul, tandis que les deux dernières reçoivent les ogives. Dans la première moitié du XIIIᵉ siècle, ce parti est nettement bourguignon (abside de Notre-Dame de Dijon).

Ces remarques ne doivent pas entraîner une vision rigide qui permettrait de distinguer entre « écoles » de Bourgogne et de Champagne en croyant pouvoir tracer des frontières strictes. Les maçons gothiques voyageaient sans doute beaucoup. C'est sur les grands chantiers que se formaient les apprentis, qui venaient parfois de milieux assez variés.

Contemporaine de Chartres, la cathédrale de Bourges reflète une esthétique différente; la superposition des ouvertures évoque Saint-Remi de Reims. Le plan continu, sans transept, est proche de celui de Notre-Dame de Paris; les piles de la nef sont composées d'un noyau cylindrique entouré de colonnettes. Cependant le plan de Bourges, complexe en élévation, fit peu école (chœur de Saint-Martin de Tours, cathédrale du Mans, de Coutances et de Tolède). Burgos ne retient que quelques traits du modèle.

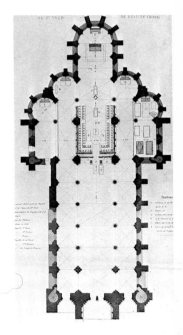

Plan de Saint-Yved de Braine. Photo B.N.

Style gothique de l'ouest de la France

L'Anjou, le Maine et le Poitou eurent un art original, poursuivant à partir de ses propres principes sa propre évolution. Cet art des Plantagenêts ne dépassera guère le milieu du XIIIᵉ siècle. On peut dénombrer quatre centres essentiels : Le Mans (la cathédrale et Notre-Dame-de-la-Couture); Tours (nef de Saint-Martin vers 1170-1180); Angers (voûtes de la nef de la cathédrale vers 1149-1153); enfin Poitiers, dont la cathédrale est commencée vers 1160.

Les voûtes sont très bombées, car la clef des arcs diagonaux est plus haute que celles des arcs formerets et doubleaux (héritage des files de coupoles sur trompes romanes). A l'époque gothique, le Poitou conservait encore de solides traditions romanes. La nef est unique ou forme un triple vaisseau d'égale hauteur.

A partir du milieu du XIIIe siècle, l'Ouest tend à perdre son originalité; les nouvelles constructions sont influencées par Bourges. Les modèles septentrionaux (dont Reims) s'imposèrent à Bordeaux (cathédrale Saint-André).

Chœur et nef de l'abbaye de Saint-Denis. Photo Roubier.

LE GOTHIQUE RAYONNANT

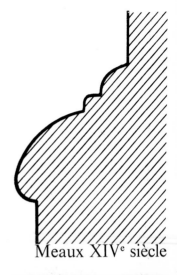

Meaux XIVe siècle

L'évolution des conceptions architecturales vers le milieu du XIIIe siècle s'accompagne d'une transformation lente, mais sensible du décor sculpté. Les chapiteaux, qui sont plus des ornements que des supports, possèdent souvent des feuillages de médiocre apparence. Le désir de multiplier les lignes ascendantes conduit à diminuer le diamètre des colonnes engagées qui tendent à se confondre avec de simples moulures. Les bases, où la scotie est supprimée, prennent l'allure d'une assiette renversée dans le style rayonnant tardif.

A partir de 1230, une tradition nouvelle se crée autour de trois édifices : la cathédrale de Troyes, Saint-Nicaise de Reims et Saint-Denis.

La façade occidentale (disparue) de l'abbatiale de Saint-Nicaise due à Hugues Libergier était profondément originale. Elle est connue par une gravure du XVIIe siècle. Bâtie vers 1245-1250, elle présente une saillie de quatre contreforts. Un des traits les plus intéressants est certainement le dédoublement dans leur épaisseur des éléments structuraux selon une disposition rare manifestant la volonté de nier, visuellement, le rôle de support. Entre les parties supé-

Reims, façade occidentale de l'église Saint-Nicaise (détruite au début du XIXe siècle). Gravure de Nicolas de Son. Paris, Bibliothèque nationale, Estampes. Photo B.N.

Élévation de la nef de Clermont-Ferrand (2e moitié du XIIIe siècle).

rieures de la cathédrale de Troyes, achevées vers 1228-1230, et Saint-Urbain (dont le chœur est élevé de 1263 à 1266), Saint-Nicaise de Reims était, vers 1245, le monument le plus remarquable et le plus nouveau de Champagne. A Saint-Denis, l'accent est mis sur la largeur : l'architecte (Pierre de Montreuil?) a été influencé par la Bourgogne. On reconstruit les parties supérieures du chœur de Suger et l'on bâtit à neuf le transept et la nef (allégement de tout effet mural).

Le chœur de la cathédrale de Meaux est remanié vers le milieu du XIIIe siècle. Les transepts de Notre-Dame de Paris dus à Jean de Chelles et Pierre de Montreuil (vers 1250-1260) fournissent des modèles imités par l'art rayonnant (la rose de la façade de la cathédrale de Reims imite la rose du bras nord de Paris).

Au milieu du XIIIe siècle, plusieurs édifices de dimensions restreintes sont des chefs-d'œuvre du gothique rayonnant : en premier lieu, la Sainte-Chapelle de Paris, consacrée en 1248. L'architecte a reporté vers l'extérieur les éléments de soutien (contreforts) afin de conserver à l'espace intérieur toute sa pureté. L'abside de Saint-Sulpice de Favières, au sud de Paris, fut élevée dès 1245-1250. Dans une élévation à trois étages vitrés, des passages sont établis aux trois niveaux des ouvertures. Cette architecture appartient au milieu royal. Près de Vitry-le-François, le chœur de Saint-Amand-sur-Fion (1250-1260) présente une élévation à trois étages d'ouvertures au-dessus d'un soubassement à arcatures aveugles : fenêtres basses, triforium à claire-voie et fenêtres hautes.

L'évolution générale se fait vers un évidement extrême des murs. Au XIVe siècle, on ajoute souvent des chapelles entre les contreforts des bas-côtés; elles sont construites et décorées aux frais d'un donateur, d'une confrérie ou d'un simple particulier. Le triforium est le plus souvent ajouré : c'est la *claire-voie*, généralisée à partir du milieu du XIIIe siècle. L'esprit de raffinement l'emporte sur la simplicité robuste. Cette évolution est visible dans la technique de l'arc-boutant : on s'aperçoit que les seules parties qui travaillent sont l'*extrados* qui transmet la poussée et l'*intrados* qui la soutient. Les parties intermédiaires, les écoinçons, seront donc évidées, ajourées de rosaces ou de quatre-feuilles (Saint-Urbain de Troyes).

*Chœur de l'église de
Saint-Amand-sur-Fion.
Photo Lautier.*

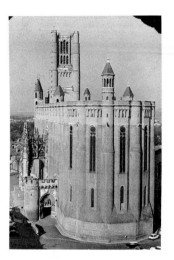

*Albi, chevet
de la cathédrale
Sainte-Cécile.
Photo Lauros-Giraudon.*

Dans le nord du royaume, les différences de conception entre les édifices ont tendance à s'estomper; le style nouveau (Paris a joué un rôle prépondérant) se fond dans une plus grande uniformité dès la fin du xiiie siècle. Le gothique rayonnant pénètre dans le centre et le sud de la France, à la cathédrale de Clermont-Ferrand, par exemple, commencée peu avant 1250. C'est durant cette période que le Midi, longtemps hostile aux rois de France (lutte contre les Cathares), produit plusieurs chefs-d'œuvre : Saint-Nazaire de Carcassonne, qui s'apparente au type d'église-halle, est en construction en 1269. La cathédrale Sainte-Cécile d'Albi, commencée vers 1276, bâtie surtout au xive siècle, représente un type très élaboré d'église-forteresse. L'église à nef unique reste propre au Midi. Les deux vaisseaux des Jacobins de Toulouse, séparés par de hautes colonnes, relèvent d'un plan employé également dans le couvent parisien de l'ordre; mais c'est le grand chef-d'œuvre de l'architecture dominicaine française. Au xive siècle, le Midi semble plus créatif que les vieux foyers septentrionaux dont les édifices les plus marquants ont été élevés un siècle plus tôt.

31

Paris,
église Saint-Séverin,
pilier à baguette torse.
Photo Giraudon.

A droite : *Vendôme,*
la Trinité,
fenêtre flamboyante.
Lisieux, Saint-Jacques,
pénétration directe
des arcs dans les piliers.
Bordeaux, Saint-Éloi,
arc en accolade.

Évolution
du pilier du XIIIe
au XVe siècle.
Coutances, bas-côté.
Saint-Germer, chapelle.
Argentan, bas-côté.

32

COUTANCES. BAS-CÔTÉ.   S^T GERMER CHAPELLE.   ARGENTAN. BAS-C

LE GOTHIQUE FLAMBOYANT

A la fin du Moyen Age, le style flamboyant tire son nom du fait que les réseaux des nervures prennent l'apparence onduleuse de la flamme. Le tracé des meneaux fait appel à un jeu de courbes et de contre-courbes qu'on voit apparaître dès 1380 à Paris, dans la chapelle Notre-Dame-de-Bonnes-Nouvelles (aujourd'hui disparue) qui dépendait des hospitaliers, et à Riom, à la Sainte-Chapelle bâtie par Guy de Dammartin pour le palais de Jean de Berry. Dans les fenêtres, le *soufflet* est une sorte de quatre-feuilles déformé, allongé en pointe à sa partie inférieure; la *mouchette* un long fuseau ondulé garni de redents. Les arcs brisés des portails sont surhaussés par des accolades. Les chapiteaux peuvent être réduits à des bagues décoratives ou disparaître complètement si les moulures pénètrent sans interruption de l'ogive dans la colonne qui la supporte (le pilier du déambulatoire de Saint-Séverin est orné d'une baguette torse). La base de style flamboyant prend la forme d'un flacon prismatique. Aux xve et xvie siècles se forme un type de piliers où chaque colonnette a sa propre base moulurée dont les hauteurs peuvent alterner, composant ainsi une partie décorative au-dessus d'une assise polygonale unie.

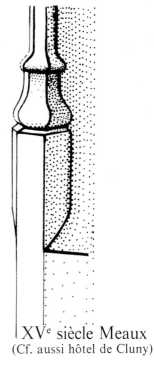

XVe siècle Meaux
(Cf. aussi hôtel de Cluny)

L'élévation est le plus souvent réduite à deux étages : les églises parisiennes du xve siècle ne conservent en élévation que les grandes arcades et les fenêtres hautes (Saint-Germain-l'Auxerrois, Saint-Nicolas-des-Champs, Saint-Gervais). Cependant, la Normandie conserve l'élévation traditionnelle (chœur de l'abbatiale du Mont-Saint-Michel, commencé en 1446). La voûte à liernes et tiercerons se généralise : la *lierne* est une nervure qui joint la clef des ogives à la clef d'un doubleau ou à la tête d'un tierceron ; le *tierceron* est un demi-arc qui réunit la lierne à la naissance des ogives. La mode est aux voûtes « en étoile » surchargées de décor, munies de clefs pendantes (à l'église de Rue à partir de 1480, à Caudebec-en-Caux).

Les façades flamboyantes présentent plusieurs innovations : on dédouble les plans verticaux de la façade par l'intermédiaire de gâbles. L'association d'une arcature ajourée et d'un gâble placé juste au-devant de celle-ci est un thème répandu dans la deuxième moitié du xve siècle. Le gothique flamboyant renoue avec d'anciennes traditions en adoptant parfois des façades à deux tours (Toul) et des types de clochers apparus dès la fin du xiie siècle.

Rouen possède une riche architecture flamboyante illustrée par Saint-Ouen, Saint-Maclou et la cathédrale Notre-Dame. A Saint-Wulfran d'Abbeville (après 1488), on doit retenir en particulier le tympan de la porte gauche à la façade occidentale. En Lorraine, Saint-Nicolas-de-Port représente le type même de la grande église de style gothique flamboyant. Construite de 1494 à 1530, elle a une nef extrêmement élancée, couverte de voûtes à liernes et tiercerons, dont les ogives retombent sur de hautes colonnes. Les piliers les plus hauts atteignent vingt-cinq mètres.

Le gothique flamboyant se répand largement hors de France : cloître de l'église de Batalha (Portugal), cathédrales de Salamanque et de Ségovie commencées en 1510 et 1522. Cette époque a longtemps souffert de son assimilation à une période décadente, car les éléments décoratifs masquent le rôle des éléments porteurs. L'art flamboyant ne fait souvent que donner un aspect monumental à une acquisition progressive de l'architecture rayonnante. Les édifices prestigieux du xiiie siècle continuèrent d'influencer longtemps les architectes (le plan de Saint-Eustache de Paris imite le plan de Notre-Dame). La cathédrale de Reims a

Élévation de la nef de Saint-Nicolas de Port.

continué à exercer une attraction, alors même que les styles évoluaient. Un cas typique est celui de la basilique de L'Épine, qui est le plus remarquable édifice construit en Champagne aux xvᵉ et xvɪᵉ siècles (vers 1410-vers 1530). L'influence la plus caractéristique est celle du prestigieux modèle de la cathédrale de Reims :

— chevet à cinq chapelles rayonnantes,
— triforium avec galerie de circulation,
— piles rondes cantonnées de quatre colonnes.

L'église est bâtie avec un souci d'archaïsme. Le décor flamboyant est subordonné au canevas général des massifs à deux tours du xɪɪɪᵉ siècle; l'église se devait de ressembler à une cathédrale en réduction. La façade de Notre-Dame-de-l'Épine compte parmi les œuvres majeures de l'architecture flamboyante en France.

Diffusion de l'architecture gothique dans la chrétienté

De l'Ile-de-France, l'art gothique se répandit dans toute la chrétienté, mais il fut rarement, comme en Espagne, une pure imitation.

Rue, voûte de la chapelle du Saint-Esprit. Photo Roubier.

Façade occidentale de la cathédrale de Toul. Photo Roubier.

Façade occidentale de Notre-Dame de L'Épine. Photo X.

En dépit de l'utilisation de la croisée d'ogives, les pays germaniques restèrent très longtemps fidèles aux volumes massifs de l'époque romane ; l'ogive est introduite dans l'Empire autour de 1120-1130, mais toutes les conséquences n'en sont pas tirées pour l'allégement de l'architecture. Le chantier de Strasbourg (peu avant le milieu du XIIIe siècle) finira par s'imposer à tous ceux d'Alsace et d'Allemagne ; il servira en quelque sorte de relais pour faire pénétrer l'influence française au-delà du Rhin. En Allemagne, l'influence de la basilique carolingienne et othonienne persista et, surtout dans les villes hanséatiques, un type d'église-halle à trois vaisseaux de même hauteur (rôle de la brique) eut beaucoup de succès.

En Angleterre, les influences normandes inspirèrent des solutions très originales (importance de la tour centrale aux cathédrales de Lincoln et de Salisbury) ; après 1250, le pays maintint sa particularité en adoptant le *style décoré* (Decorated style). Dans la phase curvilinéaire (à partir de la fin du XIIIe siècle) du style décoré, des éléments propres au travail du bois et du mobilier sont transposés dans la pierre (arrière-chœur et chapelle d'axe de la cathédrale de Wells, grand octogone du transept de la cathédrale d'Ely). Le *style perpendiculaire* s'impose après 1330 : les fenêtres immenses sont quadrillées par des meneaux verticaux et horizontaux (chœur et cloître de Gloucester). L'élément le plus typique est la « voûte en éventail », qui utilise les murs pour y prendre appui et forme une succession de demi-cônes évasés.

En Italie, le gothique dut composer avec le sens de la polychromie et le désir de conserver une vaste surface murale couverte de fresques. A Santa Maria Novella, église dominicaine fondée en 1279 (Florence), rien n'évoque le contact avec l'art français contemporain, mais le gothique italien produit là son premier chef-d'œuvre accompli. La cathédrale de Sienne, commencée vers 1250, demeure d'esprit roman (polychromie horizontale des assises).

L'art gothique s'imposa plus facilement aux frontières de la chrétienté : en Scandinavie (cathédrale d'Upsal), à Chypre (église de Famagouste).

Statues provenant du portail Sainte-Anne à Notre-Dame de Paris :
en haut : *saint Pierre, découvert au XIXe siècle (musée de Cluny) ;*
en bas :
saint Paul, découvert en 1977 (en dépôt au musée de Cluny).
Photos Dragu.

LA SCULPTURE

La sculpture gothique nous ramène à ce que la nature nous offre de familier. Le moment d'heureux équilibre entre la puissance monumentale et le raffinement de la forme sera trouvé au xiiie siècle.

Le portail élevé par Suger à Saint-Denis avant 1140 a été le point de départ de la sculpture gothique : ces premières statues-colonnes très hiératiques (qui ne sont plus connues que par la gravure), appartenant à l'architecture même, auront une longue descendance dans une série de portails de la seconde partie du xiie siècle. L'idée d'accrocher des statues aux ébrasements d'une porte était nouvelle. Le « portail royal » de la façade occidentale de Chartres, où les statues-colonnes représentent des personnages de l'Ancien Testament, date des années 1145-1155.

A Notre-Dame de Paris, le portail Sainte-Anne, remanié au xiiie siècle, définit les débuts de la sculpture gothique parisienne. De peu postérieur à celui de Saint-Denis, ce portail exécuté en 1150-1160 échappe à son influence et apparaît comme une création originale. Mais cette œuvre, mieux connue depuis les découvertes de 1977, est isolée et n'a pas de descendance immédiate : il ne subsiste aucune sculpture contempo-

raine qui présente les plis métalliques du saint Pierre ou du saint Paul. Les parties hautes du portail Sainte-Anne montrent la main de plusieurs artistes. Les plis sont toujours plus arrondis à Saint-Denis, plus aigus à Paris.

Le style de Senlis (plis souples des vêtements, visages ronds, mèches de cheveux terminées en coquille) est sensiblement différent de celui de la sculpture parisienne des années 1160. Le portail de Senlis serait de 1170 environ. Le rôle joué par les sculpteurs de Senlis à Mantes n'a pas encore été précisé; le portail central de Mantes ne se réduit nullement à une « imitation » de celui de Senlis. C'est la fin de la première sculpture gothique née à Saint-Denis.

Les débuts de la sculpture gothique ne se plient pas à un schéma évolutif qui mènerait, par progressions sans heurt, de la rigidité presque romane des premiers « portails royaux » à l'humanisme gothique des portails du transept de Chartres. Les années 1170-1180 sont une période de grande création, même hors de l'Ile-de-France : songeons aux personnages du cloître de Notre-Dame-en-Vaux et aux statues-nervures de la Couture du Mans.

C'est ici qu'il faut évoquer la sculpture de Laon, qui ne dérive pas de Senlis; l'influence laonnaise serait directe sur le portail central nord de Chartres, et notamment sur le groupe de David, quatre statues de l'ébrasement de gauche. Les portails latéraux de Chartres furent achevés entre 1210 et 1220 et influencèrent les débuts de la sculpture rémoise.

D'autres courants apparaissent dès le début du XIIIe siècle; les ateliers sénonais travaillent à la façade occidentale de Sens vers 1200. Ce nouveau style couvre toute une partie du nord de la France pour se terminer à Strasbourg : les principales caractéristiques sont les yeux en amande, les pommettes saillantes et la frontalité des personnages. A Paris, le style des années 1200, marqué par l'influence antiquisante, est connu par les deux statues de Notre-Dame conservées aujourd'hui au musée de Cluny et à Carnavalet; elles proviennent du portail central où elles s'intégraient à la série des apôtres. L'influence de Sens est encore sensible vers 1220 à Paris dans les têtes de la Galerie des Rois découvertes récemment. A Reims, le style « antiquisant » est de mode jusqu'à la fin du premier tiers du XIIIe siècle (*Visitation* du portail central, vers

Saint Paul, statue-colonne provenant du cloître détruit de Notre-Dame-en-Vaux à Châlons-sur-Marne. Avant et après restauration. Photos Laroche.

*Le Christ-juge et l'Ange
aux clous, tympan
du portail central
de Notre-Dame de Paris.
Photo Hirmer.*

*Saint Théodore,
portail sud de
la cathédrale
de Chartres.
Photo Giraudon.*

1235?) avant de disparaître sous la poussée du gothique de l'Ile-de-France.

Une mutation de style a lieu dans les années 1240; elle se marque à Notre-Dame de Paris dans les remaniements réalisés à cette date au tympan du portail central : le *Christ-juge* et l'*Ange aux clous* introduisent un certain maniérisme; les plis sont traités avec élégance. Ce style se retrouve dans une œuvre isolée, le *Childebert* venant du réfectoire de Saint-Germain-des-Prés (Louvre). Le *Beau-Dieu* d'Amiens appartient sans doute aux mêmes années et l'on peut y voir l'influence de la sculpture parisienne. A partir de 1230-1240, la capitale paraît imposer les nouveaux styles élaborés sur les chantiers parisiens. Le jubé de Bourges, par le traitement plastique des draperies organisé suivant quelques lignes simples, s'inscrit dans la descendance du style parisien des années 1240.

La sculpture du milieu du XIIIᵉ siècle est connue par les statues d'apôtres de la Sainte-Chapelle de Paris, placées en 1248 dans le chœur : les théologiens du Moyen Age ont souvent comparé les supports de l'église aux douze disciples qui sont, spirituellement, les soutiens de l'Église chrétienne. Cette disposition sera souvent reprise par la suite, par exemple au chœur de la cathédrale de Cologne (1295-1310).

A la Sainte-Chapelle, on peut distinguer deux styles : le style « classique » est celui des statues placées maintenant dans les travées occidentales (les originaux sont au musée de Cluny). Les attitudes sont très calmes, les jeux d'ombre et de lumière savamment répartis : ce style paraît issu du *Christ* et de l'*Ange aux clous* du portail central de Notre-Dame de Paris ainsi que du *Beau-Dieu* d'Amiens. Pour L. Grodecki, il « paraît incontestable que l'évolution qui

*La Vierge dorée,
portail du transept sud
de la cathédrale
d'Amiens.
Photo Arch. Phot.*

*Portail central
de la façade occidentale
de la cathédrale
d'Amiens.
Photo Arch. Phot.*

aboutit à l'art de la Sainte-Chapelle passe par le chef-d'œuvre d'Amiens et s'explique en partie par ce modèle ». Les autres statues d'apôtres de la Sainte-Chapelle relèvent d'un autre style, dit « révolutionnaire », qui marque l'aboutissement des tendances maniéristes. Ce style se manifeste le mieux dans les quatre statues appuyées aux piles des quatrième et cinquième travées de l'édifice (les deux saint Jacques et les deux apôtres anonymes qui leur font suite). Les personnages, qui semblent en mouvement, animent les draperies qui retombent en plis cassés créant de puissants effets d'ombre et de lumière. Ce style se diffuse rapidement hors de Paris. Il faut alors se tourner vers les ateliers de la façade occidentale de la cathédrale de Bourges (avant 1250) et vers ceux de Reims (vers 1255, atelier de l'*Ange au sourire*). A Reims, le maniérisme se décèle dans l'attitude des personnages : silhouettes fléchies et courbées, plis délibérément stylisés et hors de vraisemblance.

L'art parisien de la seconde moitié du XIIIe siècle reste partagé entre deux styles, comme on le voit dans le portail sud du transept de Notre-Dame (commencé en 1258 par Jean de Chelles et terminé par Pierre de

40

Montreuil) : les statues des piédroits sont classiques, tandis que les figures du tympan *(Lapidation de saint Étienne)* sont maniéristes (personnages contorsionnés et grimaçants).

Le XIVe siècle, abandonnant l'art monumental, découvre le réalisme et la sculpture indépendante de l'architecture. La plupart des images de dévotion, qui se multiplient durant ce siècle, représentent la Vierge tenant l'Enfant.

Une évolution importante a lieu à Paris et à Prague dans les années 1360 : l'innovation essentielle des peintres et des sculpteurs réside dans leur attention nouvelle au visage humain (consoles du château et de la Sainte-Chapelle de Vincennes). Les donateurs se font volontiers représenter aux portails des églises auxquelles ils ont distribué leurs bienfaits. L'art funéraire se développe aussi bien à la cour d'Avignon qu'à la cour des rois de France. Parmi les tombeaux de Saint-Denis, on retiendra, pour l'évolution vers le portrait, le gisant de Charles V, dû à André Beauneveu.

Troyes,
église de la Madeleine,
sainte Marthe.
Photo Vuillemin.

Dijon,
ancienne chartreuse
de Champmol,
le puits de Moïse, par
Sluter.
Photo Roubier.

Les frères de Charles V sont eux-mêmes de grands mécènes dans leurs cours d'Anjou, de Berry et de Bourgogne.

Dans les vingt dernières années du xive siècle se répand, avec le « style international », un type de *Belle Madone,* chez laquelle la retombée des drapés crée parfois une certaine lourdeur, notamment en Bohême avec les Parler. Dans les années 1400, s'impose un art « flamand-bourguignon » dominé par Sluter, originaire de Hollande. La Bourgogne est un foyer d'art remarquable avec les ducs Jean sans Peur et Philippe le Bon. La sculpture de Sluter crée des types d'une puissante humanité, où le drapé contribue à donner vie aux personnages (*Puits de Moïse,* Dijon). Pourtant nombre de centres ne cèdent pas à l'attrait de la Bourgogne. On ne peut considérer comme purement bourguignonnes les statues de prophètes et d'apôtres de la clôture du chœur d'Albi, peut-être sorties d'ateliers espagnols. Dans la seconde moitié du xve siècle, le centre de la France a été dominé par l'art de Michel Colombe, tout de retenue et de modération (retable de la chapelle du château de Gaillon, Louvre).

Les ateliers troyens furent actifs jusqu'à la fin du Moyen Age. On peut citer les figures de la *Visitation* de l'église Saint-Jean-au-Marché de Troyes, la *Sainte Marthe* de l'église de la Madeleine et la *Vierge aux raisins* de Saint-Urbain. Cet art plein d'élégance glisse dans l'italianisme vers 1550.

Une sensibilité nouvelle s'exprime à la fin du Moyen Age et à l'aube de la Renaissance : dans la religion, c'est la douleur et la mort qui l'emportent. Les sculpteurs développent les thèmes de la *pietà,* image de la Compassion de la Mère (Chaource), et de la *Mise au tombeau* (Tonnerre, 1454; Solesmes, 1496).

Vers 1530, l'art funéraire médiéval brillait encore d'un vif éclat en terre d'Empire, dans les figurines des tombeaux de Brou (Ain) commandés par Marguerite d'Autriche.

Mise au tombeau.
Solesmes,
ancienne église abbatiale.
Photo Giraudon.

Bourg-en-Bresse,
église de Brou. Tombeau
de Philibert le Beau;
à gauche:
la sibylle Agrippa;
à droite:
la sibylle cimmérienne.
Photos Roubier.

Le Bon Samaritain.
*Vitrail de la cathédrale
de Chartres.
Photo Giraudon.*

LE VITRAIL

Le vitrail n'est pas réservé aux édifices religieux. Dès le XIIᵉ siècle, on sait que les belles demeures et certains édifices étaient décorés de vitraux; mais les églises ont mieux préservé les vitraux que les édifices civils. Comme dans la sculpture gothique, les cas de réemplois sont fréquents. Aux XIIᵉ et XIIIᵉ siècles, le sujet choisi pour chaque verrière trouvait sa place dans un programme iconographique défini par les théologiens. On connaît les cycles établis par Suger à Saint-Denis et ceux de la Sainte-Chapelle, centrés sur les reliques du Christ. Protégée par son chapitre, la cathédrale de Chartres a gardé ses vitraux anciens.

Dans les églises gothiques, il n'y a pas de vastes fresques comme dans les églises romanes. L'art de la couleur passe dans les roses et dans les larges baies offertes par les nouvelles possibilités techniques.

Les thèmes les plus souvent peints sont la vie du Christ, celle d'un saint ou encore les travaux de divers métiers. On trouve aussi la glorification de la Vierge (*Notre-Dame de la Belle Verrière* vers 1180, à Chartres). Les grandes cathédrales ont souvent une iconographie symboliste (fin XIIᵉ-début du XIIIᵉ siècle). Elle exprime l'universalisme de l'Église.

*Vitraux du chœur
de la cathédrale
d'Évreux.
Photo Giraudon.*

Pour recevoir les panneaux de vitrail, la fenêtre est pourvue de *barlotières*, barres de fer droites ou courbes dont les extrémités sont scellées dans la pierre, sur lesquelles s'appuient les panneaux. Nous sommes renseignés sur la technique du vitrail depuis la fin du XIe siècle grâce à un traité du moine Théophile, *De diversis artibus schedula*. La technique ne subira pas grands changements au cours des siècles. Les principaux composants du verre sont la silice et, selon la nature des cendres végétales, la potasse et la soude.

Il subsiste très peu de vitraux gothiques du XIIe siècle : hormis Saint-Denis, quelques vitraux anciens ont été préservés dans les parties les plus anciennes de Chartres (façade occidentale, entre 1150 et 1155); de la fin du XIIe siècle, on connaît des panneaux anciens à Saint-Remi de Reims et, en Angleterre, à Cantorbéry.

Au XIIIe siècle, la composition reprend les schémas du siècle précédent : les fenêtres basses reçoivent des scènes de petites dimensions, alors que les fenêtres hautes sont ornées de grands personnages debout sous un cadre d'architecture peu développé. Vers 1210, les ateliers laonnais et soissonnais dominent une production proche encore de l'orfèvrerie. La construction des grandes cathédrales a fourni des surfaces immenses à vitrer. C'est à Chartres qu'on peut suivre l'évolution de l'art du vitrail dans la première moitié du XIIIe siècle. Bourges, Le Mans, Clermont-Ferrand, Lyon et Reims ont conservé de beaux ensembles de cette époque. Pour éviter un assombrissement des édifices, on utilisait des « grisailles », vitraux décoratifs avec des motifs géométriques peints sur du verre blanc.

Ces quelques remarques générales ne s'accompagnent pas d'une évolution linéaire dans les styles adoptés au XIIIe siècle. La majeure partie des verrières du milieu du siècle est composée de panneaux rectangulaires. Paris crée un art original, où l'influence chartraine est peu sensible, à la Sainte-Chapelle du Palais. La vitrerie de la Sainte-Chapelle offre encore quinze fenêtres du milieu du XIIIe siècle. La surface est morcelée en parcelles de petites dimensions par des médaillons, quadrilobes et losanges (des scènes d'échelle réduite sont ainsi placées à des hauteurs considérables). La tonalité générale est donnée par l'accord des rouges et des bleus. L'idée essentielle est de glorifier la passion du Christ. La rose occidentale primitive représentait l'Apocalypse, comme celle du xve siècle que l'on voit maintenant. Autour des reliques du Christ, se déroule l'histoire du monde. Pour la représentation des personnages, le verre est couvert entièrement par une couche de lavis de grisaille assez léger, une deuxième couche est appliquée aux endroits importants, enfin, les yeux, le nez et la bouche sont dessinés d'un trait à la grisaille opaque. A Paris, l'échelle de la peinture tend à se rapprocher de la miniature, mais la facilité du modelé succède aux travaux soignés des verrières du début du xiiie siècle. Cet art, né sous Saint Louis, semble proprement parisien et on en retrouvait l'écho dans les verrières de la chapelle de la Vierge à Saint-Germain-des-Prés (disparue). A partir de la seconde moitié du xiiie siècle, la pleine couleur sera associée fréquemment à la grisaille.

Au xive siècle, on adopte une composition où la couleur forme une ou deux bandes horizontales entre deux zones de verre blanc. Les personnages apparaissent souvent dans des niches faites d'un décor architectural. Les donateurs sont toujours représentés entourés d'angelots, porteurs de phylactères et d'armoiries. Les personnages isolés sont placés dans ce que l'on appelait alors un *tabernacle* : une architecture peinte composée d'une plate-forme et d'un dais. Le décor recherche de plus en plus les motifs imités de la flore naturelle. C'est aussi au xive siècle que l'on commence à employer le jaune d'argent (chlorure ou sulfure), qui teinte le verre blanc de jaune sans mise en plomb supplémentaire. Le vitrail de couleur garde tout son prestige; on l'emploie aux emplacements les plus « honorables », au rond-point, par exemple. La Normandie tient la première place (Rouen, Jumièges, Fécamp, Évreux). Les fenêtres basses du chœur de Saint-Ouen de Rouen offrent le plus bel exemple du premier tiers du xive siècle; mais Paris a perdu presque toutes ses verrières du xive siècle (la capitale n'a conservé, des environs de 1350-1360, que plusieurs figures d'apôtres provenant peut-être de la chapelle du collège de Beauvais et qui se trouvent maintenant dans la nef de l'église Saint-Séverin). Les vitraux du chœur d'Évreux ont été influencés par l'art du miniaturiste parisien Jean Pucelle.

Au xve siècle, le vitrail connaît des progrès tech-

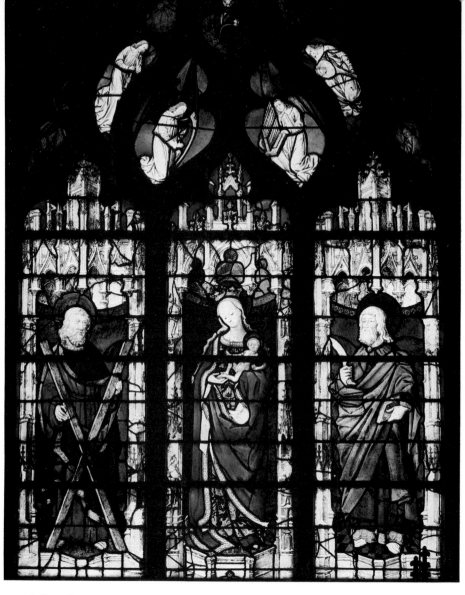

Vitraux de Louviers.
Photo Roubier.

niques : les verres sont minces et réguliers, coupés à grands éléments. La formule de la scène placée dans un tabernacle donne naissance soit à la superposition de niches avec leurs scènes, soit à un empilement de scènes de proportions réduites, encastrées dans une seule niche étirée sur toute la hauteur d'une lancette. Signatures et monogrammes se multiplient. Les personnages sont traités avec un grand réalisme. Les vitraux de Louviers datent de la fin du xve siècle. Dès cette époque, les peintres-verriers commencent à puiser aux sources de la gravure, qui fournit des modèles.

48

ORFÈVRERIE
ET ÉMAILLERIE

C'est des ateliers mosans qu'est issu un des plus grands orfèvres de la fin du xɪɪe et du début du xɪɪɪe siècle : Nicolas de Verdun, dont on connaît la châsse de Notre-Dame de Tournai (1205). Ces pièces d'orfèvrerie sont de véritables constructions architecturales en réduction dans lesquelles le cuivre est largement utilisé. Un des plus beaux types de châsse-église est celle de Saint-Taurin d'Évreux (entre 1240 et 1255), où se trouvent réunies plusieurs techniques (fonte, gravure, ciselure).

Le Moyen Age fit en même temps un énorme usage d'objets destinés à la vie liturgique : calices, ciboires, ostensoirs, crosses, reliquaires, burettes, encensoirs. Vers 1200, les ateliers de Limoges, travaillant essentiellement le cuivre *champlevé* (creusé pour y mettre l'émail), sont capables de répandre sur le marché une quantité industrielle d'objets de dévotion et de vaisselle.

Au xɪɪɪe siècle, des émailleurs sur cuivre d'origine limousine sont établis à Paris même où ils perpétuent le métier de leur province pour servir le style de la cour, en vogue dans la capitale. Paris étant devenu avec Saint Louis une véritable capitale des métiers d'art,

Vierge dite
de Jeanne d'Évreux.
Paris,
musée du Louvre.
Photo Giraudon.

l'orfèvrerie connut un grand rayonnement. La mode
est alors aux émaux translucides sur or cloisonné dits
de *plique* (reliquaire du Saint-Sang à Boulogne, dans
l'église Saint-François-de-Sales, début du XIVᵉ siècle).

Au cours du XIVᵉ siècle, se multiplient les émaux
translucides sur *basse taille* : le procédé consiste à cise-
ler et graver une plaque de métal précieux, puis à
recouvrir totalement ou partiellement le bas-relief
ainsi obtenu d'émaux translucides. La *Vierge de
Jeanne d'Évreux* (entre 1324 et 1339), réalisée en argent
doré, est un des rares témoins subsistant de ces grandes
statuettes d'orfèvrerie dont les textes donnent de
nombreuses mentions.

Le XVᵉ siècle est marqué par le développement
des émaux sur *ronde-bosse* : les figurines émaillées
étaient le plus souvent intégrées dans de grandes
compositions fort appréciées des princes du Moyen
Age finissant. La clientèle s'est laïcisée. Ces œuvres
ne constituent pas une nouvelle étape dans l'évolution
de l'orfèvrerie gothique, mais sont, au contraire,
l'ultime point d'aboutissement des recherches des
orfèvres de Jean le Bon et de Charles V.

LA MINIATURE GOTHIQUE

Elle se dégage lentement de la miniature romane. Au XIIIᵉ siècle, l'exécution reste essentiellement graphique et la couleur est le plus souvent réduite à deux dominantes, bleu et rosé, se détachant sur fond d'or. Paris s'illustre par le *Psautier de Saint Louis* (1253-1270). Les personnages évoluent dans un décor d'architecture rappelant la Sainte-Chapelle.

Le XIVᵉ siècle est marqué par la découverte du modelé et la disparition des fonds d'or remplacés par des éléments géométriques. Maître Honoré, peintre parisien, travaille sous Philippe le Bel et conserve un style essentiellement calligraphique; l'artiste de génie est Jean Pucelle († 1334), premier des enlumineurs français à avoir assimilé, dans les *Heures de Jeanne d'Évreux*, le concept d'espace à trois dimensions. Les encadrements se présentent sous forme de minces tiges s'étendant dans les marges et se cassant à angle droit de chaque côté. Ils sont souvent accompagnés de figures grotesques. La *grisaille*, qui joue sur les blancs et les noirs, l'emporte un temps. Les artistes découvrent également la notion de paysage et celle de portrait. L'enluminure de cour, dans un pays centralisé, donne le ton aux miniaturistes du reste du

royaume. Les débuts de la peinture de chevalet sont issus des mêmes milieux : le portrait de Jean le Bon, dont le profil est voisin de l'art de la médaille, est peint à Paris dans les années 1350.

A la fin du XIVᵉ siècle, apparaît un art international né des milieux princiers (Anjou, Berry, Bourgogne). Bourges est un foyer actif : Jean de Berry fait venir d'Artois Jacquemart de Hesdin, influencé par l'art siennois.

Avec Jean Fouquet, enlumineur aussi bien que peintre de chevalet, la miniature se constitue en tableau et ne diffère plus de la grande peinture que par ses dimensions; mais il s'agit déjà d'un artiste de la Renaissance, influencé par l'Italie.

LA TAPISSERIE

Les techniques employées permettent de distinguer la *haute* et la *basse lisse* (suivant que le métier à tisser est disposé dans un plan vertical — haute lisse — ou horizontal — basse lisse). On sait peu de chose des artistes qui exécutaient les modèles (les *cartons* à grandeur) que l'on confiait aux lissiers. La production fut très abondante et il n'en reste aujourd'hui que des épaves. Au XIVe siècle, le nom d'Arras revient le plus souvent dans les documents.

L'histoire de la tapisserie médiévale a été faussée par le parti pris nationaliste (France royale ou Pays-Bas bourguignons). Il y avait des métiers dans toutes les villes des Pays-Bas bourguignons. Peintres et cartonniers n'étaient point sédentaires. Dès 1303, il est fait mention des ateliers parisiens de haute lisse, sans doute les plus anciens de l'Europe occidentale. Le rôle des princes de la famille royale fut primordial dans l'énorme production médiévale. On a toujours insisté sur la place tenue par Nicolas Bataille, valet de chambre du duc d'Anjou et tapissier de Paris : il fut sans doute responsable de la confection de l'*Apocalypse* d'Angers et était également un grand marchand. Les tentures destinées à Louis d'Anjou furent tissées autour de 1380, vraisemblablement à Paris.

Nicolas Bataille,
tenture
de l'Apocalypse de
saint Jean.
Angers,
musée de la Tapisserie.
Photo Giraudon.

Bruxelles pourrait être le lieu de tissage des plus belles tapisseries « à fond de fleurettes » (les *mille-fleurs*); mais il est probable que des « sous-traitants » travaillaient ailleurs que dans la capitale du Brabant. La *Dame à la licorne*, une des plus célèbres tapisseries du XVe siècle (musée de Cluny, Paris), pourrait avoir une origine bruxelloise.

A partir de 1420, Arras profite de la ruine des ateliers parisiens en accueillant dans ses murs des tapissiers chassés de la capitale. La production d'Arras a précédé celle de Tournai, qui n'apparaît guère, dans toute sa dimension, avant 1443. Il est très difficile d'identifier l'origine d'une tapisserie. La propriété artistique n'existant pas, les ateliers n'ont cessé de se copier les uns les autres. Quand un modèle plaisait, on le reproduisait aussi bien à Arras qu'à Tournai ou à Bruxelles. En 1476, les peintres bruxellois intentent un procès aux tapissiers. Les peintres obtiennent gain de cause et, désormais, les lissiers auront seulement le droit de dessiner les fonds et leur contenu végétal ou animal, tout le reste étant réservé aux peintres.

LE CHATEAU
A L'ÉPOQUE GOTHIQUE

La construction militaire est plus conservatrice, au plan des techniques, que la construction religieuse : par sa nature même, l'architecture militaire s'oppose à l'esprit gothique, la massivité des murailles étant la condition première de la défense. L'évolution s'est faite avec lenteur. C'est Philippe Auguste qui crée réellement la forteresse nouvelle à la fin du XIIᵉ siècle.

Le château
avant Philippe Auguste

Le parti roman privilégiait le donjon, en général de plan rectangulaire, qui servait de dernier refuge en cas d'attaque. Les combats que se livrèrent Philippe Auguste et Richard Cœur de Lion se déroulèrent devant des châteaux forts de ce type. A Fréteval, la défense s'organise sur un éperon naturel limité par la vallée du Loir et isolé par un fossé. Deux enceintes concentriques précèdent la chemise (ou troisième enceinte) du donjon qui domine le site. La chapelle castrale était logée contre la première enceinte. Ce

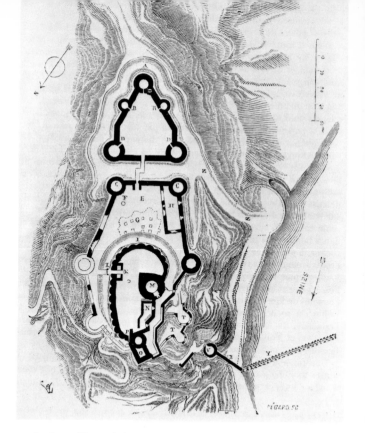

*Plan de Château-
Gaillard,
d'après Viollet-le-Duc.
En haut :
ouvrage avancé.
En bas :
les deux enceintes
et le donjon ;
Photo B.N.*

sont des dispositions semblables que l'on trouve à Lavardin.

La Roche-Guyon (vers 1190) servira en partie de modèle à Château-Gaillard. Château-Gaillard, vu sa construction par Richard Cœur de Lion et son démantèlement dès 1204, est une forteresse parfaitement datable. Ce n'est pas une œuvre novatrice, mais au contraire comme un aboutissement où se trouvent rassemblés tous les perfectionnements de l'époque romane. Le chantier était en activité de 1196 à 1198 au moins et peut-être Richard Cœur de Lion n'a-t-il pas vu sa forteresse achevée. Le donjon est tangent au rempart et domine un escarpement.

Le château
sous Philippe Auguste

Philippe Auguste développe dans le royaume le plan quadrangulaire flanqué de tours ; le donjon circulaire, d'abord situé au milieu de la cour intérieure suivant la conception romane, émigra par la suite à l'un des angles de l'enceinte.

Le donjon n'est plus conçu comme un élément autonome, ultime réduit de la défense passive, mais se trouve intégré de plus en plus étroitement à la fortification de l'enceinte : au terme de cette évolution, il sera parfois supprimé. C'est sans doute à la faveur des luttes entre Capétiens et Plantagenêts que les progrès les plus spectaculaires furent réalisés. L'art militaire fit aussi quelques emprunts directs à l'architecture byzantine et arabe; mais l'apparition de nouveaux types de châteaux n'a pas fait disparaître les formes anciennes (le donjon quadrangulaire a persisté). Les donjons de plan circulaire semblent s'être répandus d'abord dans la région de la Loire moyenne et de la Seine dans le dernier tiers du XIIe siècle. Le tracé circulaire a l'avantage de supprimer les angles morts en facilitant le flanquement.

Philippe Auguste réutilisa parfois des forteresses antérieures qu'il compléta : à Gisors, la tour du *Prisonnier* présente tous les caractères des donjons bâtis par ce roi; les parties antérieures sont dues aux Plantagenêts.

La tour du *Louvre*, construite vers 1190, est presque accolée à l'aile nord de l'enceinte de la forteresse; à Dourdan (Essonne), un peu avant 1222, le donjon est situé dans un angle du château, du côté le plus menacé. Ces donjons sont étroitement associés à la défense des remparts urbains.

La tour du Prisonnier de Gisors présente une élévation à trois étages, dont seul le dernier communique avec l'extérieur : chaque étage est voûté sur des croisées d'ogives assez frustes, composées d'un bandeau épais à bords abattus, retombant sur des culs-de-lampe. Les tours de ce type ont servi de magasins pour l'armement.

Dans le dernier tiers du XIIe siècle, le rôle défensif principal passe du donjon à l'enceinte. Yèvre-le-Châtel (Loiret), dont la construction est due à Philippe Auguste, ne comporte pas de donjon. Les châteaux sans donjon se multiplièrent à partir de la fin du XIIe siècle. Coucy (Aisne) — vers 1230 — et Coudray-Salbart (Deux-Sèvres) — début du XIIIe siècle — sont dérivés du plan mis au point par Philippe Auguste.

Les fossés permettent d'éviter la sape à la base des tours. Au début du XIIIe siècle, les postes de tir demeu-

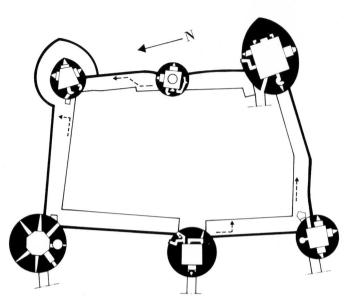

Plan du château de Coudray-Salbart dont subsistent encore des ruines importantes. D'après le Bulletin monumental.

rent encore concentrés essentiellement au sommet des tours et des courtines. Les tours ne comportent pratiquement pas d'archères. Les hourds, largement employés à l'époque de Philippe Auguste, sont remplacés peu à peu par les mâchicoulis. L'archère à étrier et l'archère en croix pattée semblent faire leur apparition dans le courant du XIIIᵉ siècle.

Ces mutations s'accompagnent de changements sociaux : les améliorations dans les fortifications ne purent être faites que par les seigneurs capables de réaliser un énorme investissement.

Le développement de l'architecture dans le Midi est beaucoup moins rapide que dans le Nord où les luttes et les sièges constants ont été un puissant levier de recherches techniques. Les architectes du Midi durent se mettre à l'école du Nord.

L'évolution aux XIVᵉ et XVᵉ siècles

Le palais des Papes, à Avignon, est la plus belle réalisation de la première moitié du XIVᵉ siècle. Il est composé de deux édifices accolés, organisés autour d'une cour centrale. Le Palais Vieux possède des mâchicoulis sur consoles se substituant aux hourds de bois; ce n'est pourtant pas l'aspect militaire qui l'emporte, le Palais Vieux étant dès l'origine un lieu de

Architecture militaire.

58

CURTINES
M
C
A
HOURD
A
A

Carcassonne le château (XIIᵉ siècle). Type de Hourd   *M : Merlon - C : Créneau - A : Archères*

Mâchicoulis XIVᵉ siècle   Coupe de mâchicoulis
(Avignon remparts)   *Profil à ricochet*

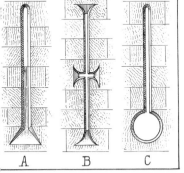

A   B   C

Meurtrières

A : Archère XIIIᵉ siècle

B : Archère XIVᵉ siècle

C : Canonnière XVᵉ siècle

CORBEAUX

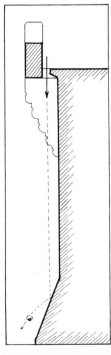

Avignon, palais des
Papes.
Photo Giraudon.

Bourges,
hôtel Jacques-Cœur.
Photo X.

résidence et de travail. Le Palais Neuf fut construit sous le pontificat de Clément VI (1342-1352). Les soucis d'ordre militaire s'estompent au profit de ceux du confort.

A cette époque, on en revient souvent au donjon carré, qui pouvait servir d'habitation. Les châteaux ne sont pas toujours bien conçus sur le plan de l'efficacité défensive.

Les constructions militaires sont renouvelées après 1360. A Vincennes, forteresse achevée par Charles V, le donjon est rectangulaire, mais cantonné de tourelles rondes : c'est un retour au parti roman d'un donjon habitable, susceptible d'une défense autonome. La Bastille, qui termine à l'est l'enceinte de Charles V sur la rive droite de Paris, possède des courtines montant jusqu'au sommet des tours, disposition permettant une meilleure circulation des défenseurs : l'aspect militaire l'emporte. On constate souvent que les châteaux de la fin du Moyen Age ne sont pas placés dans des positions stratégiques : la puissance d'une fortification médiévale n'est, en fait, que le reflet de la position sociale de son constructeur. Le donjon accumule les signes extérieurs de puissance et de richesse. Il y a corrélation entre la puissance des attributs militaires autorisés et le rang du vassal dans la hiérarchie nobiliaire. Ces remarques peuvent s'appliquer au célèbre château de Pierrefonds, élevé par Louis d'Or-

léans : on peut voir en Pierrefonds l'expression de
l'ambition et de la volonté de puissance du jeune duc
vers 1396. Le château n'a pas de position stratégique
particulière : le duc n'avait à ce moment aucune rai-
son de se sentir menacé.

Les châteaux furent très souvent remaniés et sont,
par conséquent, difficilement datables. Le château
de Mehun-sur-Yèvre, du XIIIe siècle, a seulement été
surélevé et aménagé par Jean de Berry plus d'un
siècle après.

Au XVe siècle, la demeure civile perd peu à peu les
apparences de la demeure fortifiée : hôtel Jacques-
Cœur à Bourges, hôtel des abbés de Cluny à Paris.
Le parti décoratif adopté est celui du gothique flamboyant.

La vie dans le château

Le noyau de l'habitation est une vaste salle com-
mune pourvue d'une cheminée. A Paris, le roi dispose
de la salle du palais de la Cité (XIVe siècle). Ces salles
sont généralement couvertes d'un plafond de bois fait
d'un assemblage de poutres et de solives.

La cheminée, composée d'une hotte et d'un foyer,
est traitée en élément décoratif. Les motifs ornemen-
taux suivent l'évolution des siècles : le feuillage à cro-
chet de la fin du XIIe siècle est suivi, au XIIIe siècle,

Paris,
hôtel des abbés de Cluny
(aujourd'hui musée
de Cluny).
Photo J. Lhote,
Commission
du Vieux-Paris.

du feuillage au naturel avant de céder la place aux feuilles grasses et frisées du xv⁰ siècle.

La surface même des murs était souvent couverte d'un faux appareil peint à l'ocre rouge. Les murs peuvent être décorés de fresques (palais des Papes à Avignon) ou recouverts de tapisseries. Les peintures représentent fréquemment l'affrontement de chevaliers dans les tournois. La chambre de la garde-robe de Clément VI au palais d'Avignon rapproche les thèmes de la chasse et de la pêche (1343).

Le sol était dallé de pierre ou couvert de carreaux de pavement, géométriques et historiés. Les carreaux du château de Beauté (détruit, Nogent-sur-Marne) provenaient d'une tuilerie champenoise dont on retrouve les productions dans la région de Troyes et de Provins.

Évolution de la cheminée.

Intérieur du XIII⁰ siècle, *château de Boran (Oise)*

Cheminée du XIII⁰ siècle *(Mont St-Michel)*

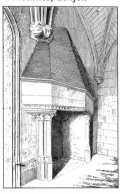

Intérieur du XV⁰ siècle. *Bourges, lycée*

Cheminée du XIV⁰ siècle, *Vincennes, donjon*

LEXIQUE

ARCHÈRE :
Meurtrière pour le tir à l'arc, ayant généralement la forme d'une fente verticale.

BAGUE :
Moulure circulaire qui entoure une colonne.

BRETÈCHE :
Sorte de petit mâchicoulis, saillant de pierre permettant le jet vertical de projectiles par des trous parallèles aux murs.

CORBEILLE :
Partie décorée (généralement un tronc de cône) d'un chapiteau.

COURTINE :
Muraille épaisse réunissant deux tours et portant des créneaux et un chemin de ronde.

CROCHET :
Sur la corbeille des chapiteaux du XIIIe siècle, la partie supérieure des feuilles se recourbe en sorte qu'elle forme une sorte de crochet.

DOUBLEAU :
Arc renforçant le berceau d'une voûte.

ÉMAUX CLOISONNÉS :
De fines cloisons métalliques, déterminant un dessin, séparent des surfaces remplies par l'émail.

EXTRADOS :
Face supérieure d'un arc ou d'une voûte.

**GOUTTEROT
(OU GOUTTEREAU) :**
Partie supérieure des murs de flanc, qui reçoit les gouttières du toit.

HOURD :
Charpente en encorbellement sur un mur ou une tour, pour permettre aux défenseurs d'en battre le pied (tir fichant). Les hourds ont presque partout disparu, mais l'on voit souvent encore des trous, espacés régulièrement, qui attestent leur ancienne présence.

INTRADOS :
Face inférieure de l'arc et de la voûte.

SCOTIE :
Gorge séparant les tores d'une base quel que soit son profil.

TORE :
Moulure pleine de profil curviligne.

TRIFORIUM :
Galerie de circulation placée au-dessus des grandes arcades ou au-dessus des tribunes.

TABLE DES MATIÈRES

UN ART FRANÇAIS :
ORIGINES ET CARACTÈRES GÉNÉRAUX.   5

PREMIER ART GOTHIQUE :
ART MONASTIQUE ET GRANDS ÉDIFICES   9

   *L'art monastique ; les cisterciens
et le plan « bernardin »*   9

   Grands édifices du premier art gothique   10

GRANDES CATHÉDRALES DU DÉBUT DU
XIIIᵉ SIÈCLE : LE MODÈLE CHARTRAIN   15

ÉVOLUTION ARCHITECTURALE :
FENESTRAGE, VOÛTEMENTS
ET ARCS-BOUTANTS   19

   Le fenestrage   19

   *Voûtements du chœur, de la nef
et du déambulatoire*   20

   Les arcs-boutants   22

« RÉSISTANCE » A L'ART CHARTRAIN
ET STYLE GOTHIQUE DE L'OUEST
DE LA FRANCE   25

   Aspects nouveaux apparus à Chartres   25

   « Résistance » à l'art chartrain   26

   Style gothique de l'ouest de la France   27

LE GOTHIQUE RAYONNANT   29

LE GOTHIQUE FLAMBOYANT..........   33

   *Diffusion de l'architecture gothique
dans la chrétienté*   35

LA SCULPTURE   37

LE VITRAIL   45

ORFÈVRERIE ET ÉMAILLERIE..........   49

LA MINIATURE GOTHIQUE.............   51

LA TAPISSERIE........................   53

LE CHATEAU A L'ÉPOQUE GOTHIQUE ..   55

   Le château avant Philippe Auguste   55

   Le château sous Philippe Auguste   56

   L'évolution aux XIVᵉ et XVᵉ siècles   58

   La vie dans le château   61

LEXIQUE   63

Iconographie : Gisèle Namur

Achevé d'imprimer en Juillet 1986, sur les presses de la SADAG 01200 Bellegarde
N° d'éditeur : 12092 — Dépôt légal : septembre 1982 - N° d'imprimeur : 1664